Y Tair Gafr Fach Fflwff

Am y pompoms, y doliau peg a'r melysion mintys!

I'm tad-cu a mam-gu annwyl.

Ac i Holly a Daisy a fyddai wedi dwlu arnyn nhw hefyd R.M.xx

Cyhoeddwyd gyntaf yn 2010 gan Hodder Children's Books
338 Euston Road, Llundain NW1 3BH dan y teitl *The Three Billy Goats Fluff*

Cyhoeddwyd gyntaf yng Nghymru yn 2011 gan Wasg Gomer,
Llandysul, Ceredigion SA44 4JL
www.gomer.co.uk

ⓑ y testun: Rachael Mortimer 2010 ©
ⓑ y lluniau: Liz Pichon 2010 ©
ⓑ y testun Cymraeg: Sioned Lleinau 2011 ©

Mae Rachael Mortimer a Liz Pichon wedi datgan eu hawl
dan Ddeddf Hawlfreintiau, Dyluniadau a Phatentau 1988
i gael eu cydnabod fel awdur ac arlunydd y llyfr hwn.

Dymuna'r cyhoeddwyr gydnabod cymorth Cyngor Llyfrau Cymru.

ISBN 978 1 84851 298 6

Argraffwyd a rhwymwyd yn China

Stori Siang-di-fang

Y Tair Gafr Fach Fflwff

RACHAEL MORTIMER
A LIZ PICHON
ADDASIAD
SIONED LLEINAU

Gomer

Clip-clop

Clip-clop

Doedd dim
gobaith iddo
allu cysgu.
Ochneidiodd Mr Ellyll
a rhoi ei glustog dros
ei glustiau.

Agorodd ei bapur newydd a darllen yr hysbyseb unwaith eto.

Paradwys yr Ellyll

Cartref clyd ar lan yr afon

gyda llyffantod llithrig

a digon o sudd pryfed ffres.

Bargen!

AR WERTH!

Roedd e wedi cael ei dwyllo!

Dyma'r hyn ddylai'r hysbyseb fod wedi'i ddweud:

SWNLLYD!

CARTREF DAN YR UNIG
BONT RHWNG Y MYNYDD
GARW A'R DDÔL
FFRWYTHLON.

GOLYGFA
DDIFLAS
IAWN

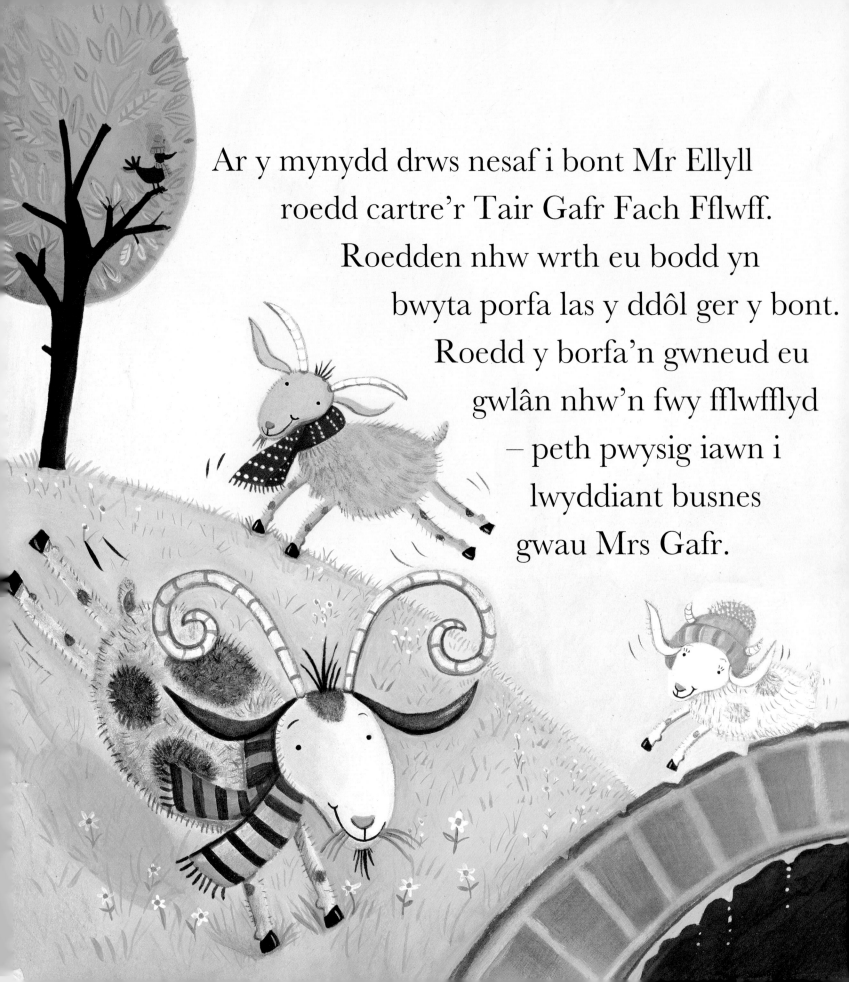

Ar y mynydd drws nesaf i bont Mr Ellyll
roedd cartre'r Tair Gafr Fach Fflwff.
Roedden nhw wrth eu bodd yn
bwyta porfa las y ddôl ger y bont.
Roedd y borfa'n gwneud eu
gwlân nhw'n fwy fflwfflyd
– peth pwysig iawn i
lwyddiant busnes
gwau Mrs Gafr.

Roedd y Tair Gafr Fach Fflwff yn croesi'r bont ddwywaith y dydd.

Ond un bore, roedd gan Mr Ellyll syrpréis ar eu cyfer. Roedd e wedi gosod rhybudd ar y bont:

Doedd Babi Gafr ddim wedi dysgu darllen eto, felly
i ffwrdd â hi fel arfer. Roedd hi newydd roi un o'i thraed
blaen ar y bont pan neidiodd Mr Ellyll allan a'i dychryn!

'Ellyll ydw i ac mae
'mhen i'n curo!
Mae'r holl glip-clopian yma
yn fy neffro!
Beth fyddai'n siŵr o'm helpu i gysgu
yw cawl Babi Gafr
neu gig gafr mewn cyrri!'

Cafodd Babi Gafr gymaint o ofn
nes iddi redeg adref ar ras at Mrs Gafr.

Wedyn, daeth Gafr Fach Ganolig draw at y bont.
Roedd sŵn ei thraed hi'n croesi'r bont yn uwch na sŵn
Babi Gafr. Neidiodd Mr Ellyll allan unwaith eto.

'**Ellyll ydw i sy'n grac ofnadw!**

Mae'n gas gen i glywed cymaint o dwrw! Gafr Fach Ganolig sy'n flasus iawn mewn brechdan a phastai, bydd fy mola i'n **llawn!**'

Carlamodd Gafr Fach Ganolig 'nôl at ei chwaer fawr, a oedd hefyd yn rhy ofnus i groesi'r bont erbyn hyn. 'Ry'n ni'n mynd i ddweud wrth Mam amdanat ti!' brefodd y ddwy.

Gwrandawodd Mrs Gafr yn astud ar straeon y Tair Gafr Fach Fflwff am Mr Ellyll. Roedd hi'n gwybod yn iawn sut beth oedd diffyg cwsg; roedd Babi Gafr yn dal i'w deffro bob nos!

Y noson honno, wrth i Mrs Gafr eistedd yno'n gwau esgidiau bach o wlân mwyaf fflwfflyd y Tair Gafr Fach, dyma hi'n cael syniad …

Bore drannoeth, roedd Mr Ellyll yn aros
amdanyn nhw eto!

'Unrhyw sŵn heddiw
A chredwch chi fi,
Bydd 'na dair gafr fach
Yn fy nghrochan i!'

Dechreuodd Gafr Fawr grynu
wrth roi anrheg i Mr Ellyll.
Rhoddodd nodyn iddo
hefyd oddi wrth Mrs Gafr.

Os medri di glywed sŵn clip-clopian
Wel, tair gafr fach gei di roi yn
dy grochan.
Ond os na chlywi ein camau ni
Bod yn hapus a charedig fydd yn
rhaid i ti!

Babi Gafr oedd y gyntaf i drio cynllun Mrs Gafr. Yn nerfus, gwisgodd yr esgidiau bach fflwfflyd newydd yr oedd ei mam wedi eu gwau iddi am ei thraed. Roedden nhw mor fflwfflyd. Ac yn felyn llachar. Ei hoff liw!

Yn araf a gofalus, dyma hi'n cymryd cam ar y bont.

Roedd Mr Ellyll yn gwrando o'i stafell wely islaw.

Dim? DIM SWN!

Tro Gafr Fach Ganolig oedd hi nesaf. Roedd ei choesau'n gwegian wrth iddi wisgo'i hesgidiau fflwfflyd arbennig. Ac roedden nhw'n binc! Roedd hi wrth ei bodd â nhw!

Yn ofalus, camodd ar y bont. Gwasgodd Mr Ellyll
ei glust yn erbyn to ei stafell wely.
Ond allai e ddim clywed
yr un smic!

Yr olaf i fentro ar y bont oedd Gafr Fawr. Roedd Mrs Gafr wedi bod ar ddi-hun bron drwy'r nos yn gorffen gwau ei hesgidiau fflwfflyd hi. Roedd hyd yn oed bompoms fflwfflyd arnyn nhw. Mentrodd Gafr Fach redeg dros y bont.

Gwrandawodd Mr Ellyll
yn astud. Tawelwch!
Ond, sut oedd
hynny'n bosib?

Dyma Mr Ellyll yn dod allan o'i gartref dan y bont. Gwelodd y Tair Gafr Fach Fflwff yn pori ar y ddôl gerllaw. Cofiodd am ei anrheg oddi wrth Mrs Gafr. Dyma fe'n ei hagor.

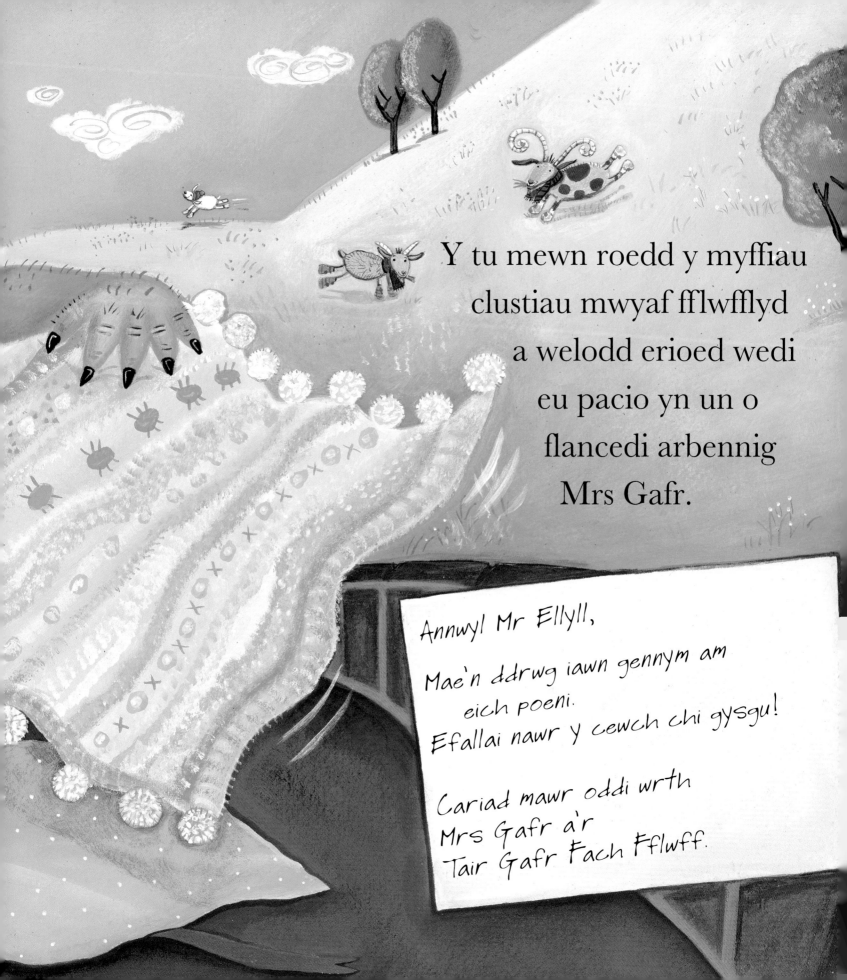

Y tu mewn roedd y myffiau
clustiau mwyaf fflwfflyd
a welodd erioed wedi
eu pacio yn un o
flancedi arbennig
Mrs Gafr.

Annwyl Mr Ellyll,

Mae'n ddrwg iawn gennym am
eich poeni.
Efallai nawr y cewch chi gysgu!

Cariad mawr oddi wrth
Mrs Gafr a'r
Tair Gafr Fach Fflwff.

A'r noson honno, dyma
Mr Ellyll yn yfed llond
cwpan o sudd pryfed poeth ...

yn darllen ei hoff stori
amser gwely . . .

Yr Ellyll Frenin

mR E

. . . gwisgo'r myffiau clustiau
fflwfflyd a thaflu ei flanced feddal
werdd drosto.

Ac am y tro cyntaf erioed yn ei gartref newydd, dyma fe'n cysgu'n sownd drwy'r nos. Breuddwydiodd am gymylau fflwfflyd, llyffantod fflwfflyd, sudd pryfed fflwfflyd ac, yn fwy na dim, breuddwydiodd am ei gymdogion newydd tawel . . .

...y Tair Gafr Fach Fflwff!